Kartengrundlage:
Stadtkarte von Hamburg
1:20 000

Herausgeber:
Vermessungsamt Hamburg
Vervielfältigt mit Geneh-
migung VA 400-20/87

Roland Schmid

HAMBURG

SCHMID VERLAG
REGENSBURG

Chronik von Hamburg

Um 811: Karl der Große ordnet in der Umwallung der vorkarolingischen „Hammaburg" den Bau einer ersten Kirche an.

834: Die Kirche wird zum Erzbischofssitz erhoben; erster Erzbischof ist Ansgar (834–865).

Ab 1111: Beginn des Handels über die Stadtgrenzen hinaus.

7.5.1189: Friedrich Barbarossa bestätigt die Handels-, Zoll- und Schifffahrtsprivilegien auf der Niederelbe. Dieser Tag wird heute noch mit dem „Hafengeburtstag" begangen.

1195: St. Petri, die erste Pfarrkirche, wird erwähnt.

Um 1250: St. Katharinen, die Kirche des Kaufmanns- und Handelsviertels, wird erwähnt.

1255: St. Jakobi wird begründet.

Im 14. Jahrhundert: Hamburg entwickelt sich zum wichtigsten Mitglied der Hanse. Wegen seiner expansiven Exportbrauerei bekommt es den Beinamen „Das Brauhaus der Hanse".

1401: Im Kampf gegen die Seeräuberei wird der bekannteste Anführer, Klaus Störtebeker, hingerichtet.

1510: Der Augsburger Reichstag stellt fest, dass Hamburg Reichsstadt ist.

Bis 1529: Die Stadt bekommt im Zuge der Reformation eine evangelische Kirchenordnung.

1558: Die erste deutsche Börse wird eröffnet; (Einwohnerzahl ca. 20 000).

Zwischen 1610 und 1625: Hamburg wird zu einer mächtigen Festung ausgebaut, die Alster wird geteilt.

1618: Das Reichskammergericht bestätigt die Reichsunmittelbarkeit.

1678: Die erste ständige deutsche Oper öffnet ihre Tore.

1806: Das alte deutsche Reich besteht nicht mehr. Hamburg nennt sich „Freie Hansestadt".

1815: Die Stadt tritt dem „Deutschen Bund" bei.

1817: Das erste Dampfschiff befährt die Elbe.

1819: Ab jetzt führt Hamburg den Staatstitel „Freie und Hansestadt Hamburg".

1842: „Der Große Brand" vernichtet die Hälfte der Altstadt. Das Rathaus muss gesprengt werden.

1888: Der Zollanschluss Hamburgs an das Deutsche Reich wird vollendet; Freihafen mit Speicherstadt entsteht.

1897: Das neue Rathaus wird eingeweiht.

1906: Die Michaeliskirche brennt ab; Wiederaufbau 1907–1912.

1912: Die Hamburger U-Bahn beginnt ihren Betrieb; der erste Elbtunnel wird eröffnet.

1921: Nach dem Ersten Weltkrieg bekommt Hamburg eine Verfassung nach den Grundsätzen der parlamentarischen Demokratie.

1943: Die Stadt wird durch die Luftangriffe des 2. Weltkrieges zu 50 % zerstört.

1949: Hamburg wird ein eigenes Bundesland.

1962: Die „Große Flutkatastrophe" kostet 315 Menschen das Leben.

1975: Der zweite Elbtunnel wird eröffnet.

1989: Der Hamburger Hafen feiert seinen 800. Geburtstag.

1994: 75 Jahre Universität Hamburg.

1997: Mit einem großen Volksfest wird das 100-jährige Bestehen des Rathauses gefeiert.

31.12.2002: Zollgrenze wird nach Südosten verlegt. Die Speicherstadt wird das Tor zur geplanten „Hafencity".

Chronicle of Hamburg

Around 811: The emperor Charles the Great orders the first church to be built within the walls of the pre-Carolingian "Hammaburg".

834: The church is raised to the status of archbishopric; the first archbishop is Ansgar (834–865).

From 1111: Trading develops beyond town boundaries.

May 7th, 1189: The emperor Frederick I Barbarossa confirms the trade, customs and shipping privileges on the lower Elbe. This day is still marked with the "Hafengeburtstag" celebrations commemorating the port's birthday.

1195: St. Petri, the first parish church, is officially mentioned.

Around 1250: St. Katharinen, the church situated in the trader and merchant quarter, is officially mentioned.

1255: St. Jakobi church is founded.

In the 14th century: Hamburg becomes the most important member of the Hanseatic League. Due to her expansive export of beer, the town is given the nickname "Brewery of the Hanseatic League".

1401: In the fight against piracy, the well-known pirate leader, Klaus Störtebeker, is executed.

1510: The Reichstag at Augsburg confirms Hamburg to be a "Free Hanseatic Town".

Till 1529: In the course of the reformation, Hamburg is given a protestant ecclesiastical discipline.

1558: The first German stock exchange is opened; (number of inhabitants: about 20,000).

Between 1610 and 1625: Hamburg is turned into a powerful fortress; the Alster is divided.

1618: The Supreme Court of the Reich confirms Hamburg's direct subordination to the German emperor.

1678: The first permanent German opera house is inaugurated.

1806: The old German Reich no longer exists. Hamburg now calls itself a "Free Hanseatic Town".

1815: Hamburg becomes a member of the "German League".

1817: The first steamship sails along the Elbe.

1819: Hamburg is now officially a 'Free Hanseatic Town'.

1842: "The Great Fire" destroys half of the old town. The city hall has to be blown up.

1888: Hamburg becomes subject to the customs regulations of the German Reich; the free port with store-house city is born.

1897: The new city hall is inaugurated.

1906: St. Michaelis church burns down; rebuilt 1907–1912.

1912: Hamburg's underground is put into operation; the first Elbe tunnel is opened to the public.

1921: After World War I, Hamburg is given a constitution based on the principles of parliamentary democracy.

1943: Air raids during World War II destroy half of the city.

1949: Hamburg becomes a federal state of the Federal Republic of Germany.

1962: 315 people die in the "Great Flood Disaster".

1975: The second Elbe tunnel is opened to the public.

1989: Hamburg's port celebrates its 800th anniversary.

1994: The University of Hamburg celebrates its 75th anniversary.

1997: The city hall's 100th anniversary is celebrated with a large public festival.

December 31st 2002: The customs border is moved south eastwards. The store-house city becomes the gate to the planned 'port city'.

Chronique de la ville de Hambourg

Vers 811 : Charlemagne ordonne la construction d'une première église dans l'enceinte de «Hammaburg» précarolingien.

834 : L'église est élevée au rang de siège archiépiscopal ; Ansgar (834–865) est le premier archevêque.

A partir de 1111 : Début du commerce au-delà des limites de la ville.

7.5.1189 : Frédéric Barberousse confirme les privilèges de commerce, de douane et de navigation sur la Basse-Elbe. Aujourd'hui encore, ce jour est célébré comme «anniversaire du port».

1195 : L'église St Pierre, première église paroissiale, est mentionnée.

Vers 1250 : L'église Ste Catherine, église du quartier marchand et commerçant, est mentionnée.

1255 : L'église St Jacques est fondée.

Au XIVe siècle : Hambourg devient le membre le plus important de la Hanse. Elle reçoit le surnom de «brasserie de la Hanse», à cause de l'expansion de sa brasserie d'exportation.

1401 : Au cours de la lutte contre la piraterie, le chef des pirates le plus célèbre, Klaus Störtebeker, est exécuté.

1510 : Le Reichstag d'Augsbourg fait de Hambourg une ville impériale.

Jusqu'en 1529 : Au cours de la Réforme, Hambourg reçoit un règlement ecclésiastique de l'Eglise évangélique.

1558 : Inauguration de la première bourse allemande; (nombre d'habitants: environ 20 000).

Entre 1610 et 1625 : Hambourg est transformé en puissante fortification, l'Alster est partagé.

1618 : La cour d'appel de l'Empire ratifie le lien qui unit Hambourg directement à l'Empire.

1678 : Le premier opéra permanent allemand ouvre ses portes.

1806 : Effondrement du Saint Empire. La ville de Hambourg est reconnue «ville libre hanséatique».

1815 : La ville adhère à la Confédération germanique.

1817 : Le premier bateau à vapeur circule sur l'Elbe.

1819 : A partir de cette date, Hambourg porte le titre d'Etat «Hambourg, ville hanséatique et libre»

1842 : «Le grand incendie» détruit la moitié de la vieille ville. Il faut faire sauter l'hôtel de ville.

1888 : Le territoire de la ville est soumis au service des douanes, le port franc avec la Speicherstadt (ville des entrepôts) voit le jour.

1897 : Inauguration du nouvel hôtel de ville.

1906 : L'église St Michel est réduite en cendres ; reconstruction de 1907 à 1912.

1912 : Le métro de Hambourg est mis en service; le premier tunnel sous l'Elbe est inauguré.

1921 : Après la première guerre mondiale, Hambourg reçoit une constitution suivant les principes de la démocratie parlementaire.

1943 : La moitié de la ville est détruite par les attaques aériennes de la deuxième guerre mondiale.

1949 : Hambourg devient état fédéré de la République Fédérale d'Allemagne.

1962 : La «grande inondation catastrophique», coûte la vie de 315 personnes.

1975 : Inauguration du deuxième tunnel sous l'Elbe.

1989 : Le port de Hambourg fête ses 800 ans.

1994 : L'université de Hambourg fête ses 75 ans.

1997 : Le centième anniversaire de l'hôtel de ville est célébré par une grande fête populaire.

31.12.2002 : La ligne de douane est déplacée vers le sud-est. La Speicherstadt doit devenir la porte de la future «Hafencity».

Krönika över Hamburgs historia

Omkr. 811: Karl den Store förordnar bygget av den första kyrkan inom vallarna av det förkarolingiska "Hammaburg".

834: Kyrkan upphöjs till ärkebiskopssäte. Ansgar (834–865) är den första ärkebiskopen.

Från 1111: Handeln börjar nå ut över stadsgränserna.

7 maj 1189: Friedrich Barbarossa, i Sverige känd som Fredrik Rödskägg, bekräftar handels-, tull- och sjöfartsprivilegierna på Niederelbe. Denna dag firas fortfarande som "Hamnens födelsedag".

1195: S:t Petri, den första församlingskyrkan, omnämns.

Omkr. 1250: S:t Katharinen, köpmanna- och handelskvarterets kyrka, omnämns.

1255: Grunden läggs till S:t Jakobi.

1300-talet: Hamburg utvecklas till Hansans viktigaste medlem. Det expansiva exportbryggeriet ger staden tillnamnet "Hansans bryggeri".

1401: I kampen mot sjöröveriet avrättas dess mest bekanta ledargestalt Klaus Störtebeker.

1510: Riksdagen i Augsburg bekräftar Hamburg som riksstad.

Till 1529: I och med reformationen får Hamburg en evangelisk kyrkoordning.

1558: Den första tyska börsen öppnas (ca. 20 000 invånare).

Mellan 1610 och 1625: Hamburg byggs ut till en mäktig fästning, Alster delas.

1618: Rikskammarrätten bekräftar att staden lyder omedelbart under riket.

1678: Den första ständiga tyska operan öppnar sina portar.

1806: Det gamla tyska riket finns inte längre. Hamburg kallar sig "Fri Hansestad".

1815: Staden inträder i "Tyska Förbundet".

1817: Den första ångbåten seglar på Elbe.

1819: Detta år antog Hamburg stadstiteln "Fri och Hansestad".

1842: "Den Stora Branden" förintar hälften av den gamla stadsdelen. Rådhuset måste sprängas.

1888: Hamburg underkastas tyska rikets tullbestämmelser, frihamnen och dess magasinskvarter byggs.

1897: Det nya rådhuset invigs.

1906: Michaelis-kyrkan brinner ner. Kyrkan återuppbyggs mellan 1907 och 1912.

1912: Hamburgs tunnelbana tas i drift. Den första Elbetunneln invigs.

1921: Efter första världskriget får Hamburg en författning enligt den parlamentariska demokratins grundsatser.

1943: Staden förstörs till 50 % genom andra världskrigets luftangrepp.

1949: Hamburg blir delstat i Förbundsrepubliken Tyskland.

1962: 315 människor omkommer i den "Stora översvämningen".

1975: Den andra Elbetunneln invigs.

1989: Hamburgs hamn 800 år.

1994: Hamburgs universitet 75 år.

1997: Med en stor folkfest firas rådhusets 100-årsjubileum.

31 december 2002: Tullgränsen flyttas mot sydost. Magasinskvarteren blir porten till planerade "Hamncity".

Cronaca di Amburgo

Intorno all'811: Carlo Magno ordina la costruzione di una prima chiesa entro i bastioni della "Hammaburg" di origine precarolingia.

834: La chiesa viene nominata sede arcivescovile; il primo arcivescovo è Ansgar (834–865).

Dal 1111: Inizio del commercio con zone oltre i confini della città.

7.5.1189: Federico Barbarossa riconferma i privilegi commerciali, doganali e di navigazione sul basso corso dell'Elba. Questo giorno viene festeggiato ancora oggi come "Hafengeburtstag", il "compleanno del porto".

1195: La prima parrocchiale, San Pietro, viene menzionata nei documenti.

Intorno al 1250: Si trova menzione della chiesa di Santa Caterina, la chiesa del quartiere dei negozianti e dei commercianti.

1255: Viene fondata la chiesa di San Giacomo.

Nel 14° secolo: Amburgo diventa il membro più importante della Lega Anseatica. A causa delle sue birrerie orientate all'esportazione viene soprannominata la "Birreria della Lega Anseatica".

1401: Nella lotta contro i pirati viene giustiziato il famoso caporione Klaus Störtebeker.

1510: La dieta dell'impero di Augusta definisce Amburgo città imperiale.

Fino al 1529: Amburgo, nel corso della riforma protestante, adotta il relativo ordinamento ecclesiastico.

1558: Viene aperta la prima borsa valori della Germania (popolazione di circa 20.000 abitanti).

Tra il 1610 ed il 1625: Amburgo viene munita di poderose fortificazioni. Il lago dell'Alster viene diviso.

1618: La corte imperiale di giustizia conferma la dipendenza immediata dall'impero.

1678: Viene aperta la prima opera stabile della Germania.

1806: Il Sacro Romano Impero di Nazione Tedesca non esiste più. Amburgo si chiama "libera città anseatica".

1815: La città entra nella "Confederazione germanica".

1817: La prima imbarcazione a vapore naviga sull'Elba.

1819: Da ora in avanti Amburgo porta il titolo di "libera città anseatic di Amburgo".

1842: Un grande incendio distrugge metà della città vecchia. Il municipio deve essere demolito.

1888: Il territorio della città viene sottoposto alla legislazione dogana della Nazione Tedesca; sorge il porto franco con la zona dei magazz

1897: Si inaugura il nuovo municipio.

1906: La chiesa di S. Michele viene distrutta dalle fiamme. La sua ricostruzione ha luogo dal 1907 al 1912.

1912: Inaugurazione della prima linea della metropolitana; apertura della prima galleria sotto l'Elba.

1921: Dopo la prima guerra mondiale Amburgo riceve una costituzi secondo i principi della democrazia parlamentare.

1943: La città viene distrutta per il 50 % dai bombardamenti aerei de seconda guerra mondiale.

1949: Amburgo diventa uno dei Länder della Repubblica Federale di Germania.

1962: Una paurosa alta marea causa 315 vittime.

1975: Viene inaugurata la seconda galleria sotto il fiume Elba.

1989: Celebrazioni per gli 800 anni del porto.

1994: 75 anni dalla fondazione dell'Università di Amburgo.

1997: Con una grande festa popolare si celebra il centenario del palazzo del municipio.

31.12.2002: La frontiera doganale viene spostata verso sud-est. La zona dei magazzini diventa la porta di accesso alla "Hafencity" in progettazione.

Crónica de la ciudad de Hamburgo

Hacia 811: Carlomagno ordena construir una primera iglesia dentro del cerco del precarolingio «Hammaburg».

834: La iglesia es elevada a la categoría de sede arzobispal; el primer arzobispo es Ansgar (834–865).

En 1111: Se inicia el comercio más allá de las fronteras de la ciudad.

7.5.1189: Federico Barbarroja ratifica los privilegios del comercio, aduanas y navegación marítima en el Bajo Elba. Este día sigue celebrándose todavía hoy como el «Aniversario del puerto».

1195: Se hace mención de la primera iglesia parroquial, San Pedro.

Hacia 1250: Se hace mención de Sta. Catalina, la iglesia del barrio del comercio y de los comerciantes.

1255: Se ponen los fundamentos de la iglesia de Santiago.

En el s. XIV: Hamburgo se convierte en el miembro más importante de la Hansa. Debido a su expansiva industria exportadora de cerveza recibe el sobrenombre de «La Fábrica de Cerveza de la Hansa».

1401: En la lucha contra la piratería marítima, es ejecutado el cabecilla más conocido, Klaus Störtebeker.

1510: La Dieta de Augsburgo ratifica a Hamburgo como ciudad imperial.

Hasta 1529: Durante la Reforma, Hamburgo recibe un régimen eclesiástico protestante.

1558: Se abre la primera Bolsa alemana; (número de habitantes, unos 20.000).

Entre 1610 y 1625: Hamburgo se transforma en una poderosa fortaleza; el Alster queda dividido.

1618: El Tribunal Cameral Imperial ratifica la dependencia inmediata del imperio.

1678: La primera ópera permanente alemana abre sus puertas.

1806: El viejo Reich alemán deja de existir. Hamburgo se denomina «Ciudad hanseática libre».

1815: La ciudad entra en la «Confederación Germánica».

1817: El primer barco de vapor navega por el Elba.

1819: A partir de este momento, Hamburgo posee el título de «Ciudad anseática y libre de Hamburgo».

1842: «El Gran Incendio» destruye la mitad de la ciudad vieja. El Ayuntamiento debe ser dinamitado.

1888: La unión aduanera de Hamburgo al Reich alemán concluye; surge el puerto franco con la ciudad de los almacenes.

1897: Se inaugura el nuevo Ayuntamiento.

1906: La iglesia de San Miguel es destruida por el fuego; reconstrucción entre 1907–1912.

1912: El Metro de Hamburgo entra en funcionamiento; se abre el primer túnel bajo el Elba.

1921: Tras la I Guerra Mundial, Hamburgo recibe una Constitución según los principios de la democracia parlamentaria.

1943: Un 50 % de la ciudad es destruido por los ataques aéreos de la II Guerra Mundial.

1949: Hamburgo se convierte en un estado federal.

1962: La «Gran catástrofe de la marea alta» causa 315 muertos.

1975: Se inaugura el segundo túnel bajo el Elba.

1989: El puerto de Hamburgo cumple 800 años.

1994: La Universidad de Hamburgo celebra su 75 aniversario.

1997: Con una gran fiesta popular se celebra el centenario del Ayuntamiento.

31.12.2002: La frontera aduanera se desplaza hacia el sudeste. La ciudad de los almacenes se convierte en la puerta de la prevista «Hafencity».

Hamburg rund um die Binnen- und Außenalster aus der Luft betrachtet.
Aerial view of Hamburg stretching around the outer Alster and its inner basin.
Vue aérienne de Hambourg autour de l'Alster intérieure et extérieur.
Flygbild av Hamburg runtomkring Binnen- och Aussenalster.
Veduta aerea di Amburgo intorno al lago interno ed esterno dell'Alster.
Vista aérea de Hamburgo en torno al Alster interior y exterior.

Die Speicher und die Fleetbrücken erzählen etwas vom alten Hamburg. Im Hintergrund ist der Rathausturm zu sehen.
The storehouse and the fleet bridges tell of the olden days of Hamburg. The city hall tower can be seen in the background.
Les entrepôts et les ponts des canaux en racontent beaucoup sur le vieux Hambourg. La tour de la mairie est visible à l'arrière-plan.
Magasinen och kanalbryggorna vittnar om gamla tiders Hamburg. I bakgrunden syns rådhustornet.
I magazzini e i ponti che attraversano i canali ci parlano della vecchia Amburgo. Sullo sfondo si può vedere la torre del municipio.
Los almacenes y canales dejan entrever la antigua ciudad de Hamburgo. Al fondo se ve la torre del ayuntamiento.

Abendstimmung: Blick von der Lombardsbrücke auf die Binnenalster.
Evening impression: View from the Lombard's Bridge on to the inner Alster basin.
Effet de crépuscule : vue du pont Lombard sur l'Alster intérieure.
I skymningen: blick från Lombardsbron ut över Binnenalster.
Crepuscolo: vista dal ponte Lombard sull'Alster interno.
Crepúsculo: vista del Alster interior desde el Puente Lombard.

10

Die Binnenalster, ein Vergnügungsort für Mensch und Tier.
The inner Alster basin, a place of amusement for man and beast alike.
L'Alster intérieure, lieu d'agrément pour tous.
Sjön "Binnenalster", där både människor och djur kan roa sig.
L'Alster interno, un luogo di divertimento per tutti.
El Alster interior, un lugar de recreo para todos.

Die Alster mit ihren Kanälen bietet mitten in der Stadt die Möglichkeit zu segeln, Rundfahrten zu machen oder auf sehr romantische Weise zu rudern oder zu paddeln.
The Alster with its canals offers the possibility to go sailing, undertake sightseeing tours, or row or canoe in romantic surroundings in the middle of the city.
L'Alster et ses canaux offrent la possibilité de faire de la voile, des tours, de ramer ou pagayer dans un cadre très romantique, en plein milieu de la ville.
Alsterfloden och sina kanaler bjuder på möjligheten att segla, göra sightseeing eller ta en mycket romantisk tur med roddbåt eller kanot.
L'Alster ed i suoi canali offrono la possibilità, nel centro città, di andare in barca a vela o a remi, di fare canottaggio oppure di fare escursioni in battello.
El Alster con sus canales ofrece la posibilidad, en pleno centro de la ciudad, de hacer vela, dar un paseo en barco, o remar y hacer piragüismo en un entorno romántico.

11

Das Hamburger Stadtsiegel zwischen 1306 und 1810.
The Seal of Hamburg from 1306 to 1810.
Le sceau de la ville de Hambourg entre 1306 et 1810.
Hamburgs stadssigill mellan 1306 och 1810.
Il sigillo della città di Amburgo dal 1306 al 1810.
El sello de la ciudad de Hamburgo entre 1306 y 1810.

Eine Illustration des Schiffsrechtes aus dem Hamburger Stadtrecht von 1497.
An illustration of the shipping law, a part of the Hamburg City Code of 1497.
Illustration du droit maritime, extrait du droit municipal de Hambourg de 1497.
En illustration av skeppsrätten i Hamburgs stadsrätt från 1497.
Illustrazione del diritto marittimo tratta dal codice della città di Amburgo del 1497.
Una ilustración tomada del derecho marítimo de la Ciudad de Hamburgo de 1497.

12

Rathaus im Schein abendlicher Beleuchtung wurde von 1886 bis 1897 von einem Bund hamburgischer Baumeister erbaut. Im Jahre 1997 feierten die Hamburger sein 100-jähriges Bestehen.
city hall by the light of the evening illuminations, built 1886–1897 by an association of Hamburg architects. In 1997, the citizens of Hamburg celebrated its 100th anniversary.
tel de ville, baigné d'une lumière vespérale, fut construit entre 1886 et 1897 par une fédération d'architectes hambourgeois. En 1997, les Hambourgeois ont fêté ses 100 ans.
huset i kvällsbelysning, byggt 1886–1897 av en sammanslutning av olika byggmästare från Hamburg. 1997 firade Hamburgborna dess 100-årsjubileum.
ninazione notturna del palazzo del municipio, costruito tra il 1886 ed il 1897 da un gruppo di architetti della città. E di cui nel 1997 si è festeggiato il centenario.
yuntamiento, a la luz del crepúsculo, fue construido entre 1886 y 1897 por una asociación de arquitectos de Hamburgo. En 1997, los ciudadanos de Hamburgo celebraron su centenario.

Der Bürgermeistersaal im Rathaus. Auf dem Gemälde ist der Senat in seiner Amtstracht nach spanischem Vorbild zu sehen, die er bis 1918 getragen hat.
The Mayor's room in the City Hall. The painting shows members of the Senate in their official Spanish-styled robes which they wore until 1918.
La salle du maire dans l'hôtel de ville. Le tableau représente le Sénat en robe à l'espagnol, costume officiel qu'il a porté jusqu'en 1918.
Borgmästarsalen i rådhuset. På målningen ses senaten i sin ämbetsdräkt efter spansk förebild som användes så sent som 1918.
La sala del sindaco nel municipio. Sul quadro si possono vedere i senatori nelle vesti in stile spagnolo che venivano indossate fino al 1918.
El Salón del Alcalde en el Ayuntamiento. En el cuadro puede verse el Senado en su traje oficial según el modelo español, que él llevó hasta 1918.

14

Blick in das Senatsgehege; hier tagt einmal wöchentlich der Hamburger Senat.
...rance to the Senate's assembly room, the place of the weekly session.
... dans le sénat ; c'est ici que le Sénat de Hambourg siège une fois par semaine.
...k in i senatens rådssal, där senaten sammanträder en gång i veckan.
...trata alla sala del senato di Amburgo dove le riunioni avvengono una volta la settimana.
...ecinto del Senado; aqui se reúne una vez por semana el Senado de Hamburgo.

Der Hygieiabrunnen im Ehrenhof des Rathauses.
The Hygieia Fountain in the city hall's "Courtyard of Honour".
La fontaine d'Hygieïa dans «La cour d'honneur» de l'hôtel de ville.
Hygieia-brunnen vid rådhusets minnesplats.
La fontana di Igèa nel cortile d'onore del palazzo del municipio.
La fuente de Hygieia en el «Patio de Honor» del Ayuntamiento.

15

Der Rathausmarkt, der bereits vor dem Bau des Rathauses geschaffen wurde, in seiner heutigen Gestalt (Umgestaltung 1980/81).
The City Hall Square (redesigned in 1980/81) in its present shape. The square had already been laid out before the City Hall was constructed.
Le marché de l'hôtel de ville qui fut déjà aménagé avant la construction de l'hôtel de ville, dans son aspect actuel (transformation en 1980/81).
Rådhustorget, som anlades redan innan rådhuset byggdes, i sin nuvarande form (omgestaltning 1980/81).
La piazza del municipio, che venne spianata prima della costruzione del municipio stesso, nel suo aspetto odierno (trasformazione del 1980/1981).
Aspecto actual de la Plaza del Mercado del Ayuntamiento, ya ideada antes de la construcción de éste (transformación en 1980/81).

Die Krameramtswohnungen, um 1670 für die Witwen der Krameramtsmitglieder erbaut.
The official shopkeepers' apartments, built some time around 1670 for the widows of the members of the shopkeepers' association.
Les appartements du Krameramt (bureau des épiciers), construits vers 1670 pour les veuves de ses membres.
Lägenheterna "Krameramtswohnungen" byggdes kring 1670 och var avsedda för änkorna efter köpmannaskråets medlemmar.
Le case del Krameramt, l'unione dei commercianti, costruite intorno al 1670 per le vedove dei membri.
Casas de la administración cameral, edificadas alrededor de 1670 para las viudas de los miembros.

17

Auch der Bäckerbreitergang zeigt den Baustil des 17. Jahrhunderts.
The houses in the "Bäckerbreitergang" also reflect the 17th century architecture.
Le «Bäckerbreitergang» témoigne aussi du style du XVIIᵉ siècle.
Även gränden "Bäckerbreitergang" vittnar om 1600-talets byggnadsstil.
Anche il "Bäckerbreitergang" è costruito nello stile del XVII secolo.
También el «Bäckerbreitergang» muestra el estilo arquitectónico del s. XVII.

Die Peterstraße mit nach alten Vorbildern erbauten Kaufmannshäusern.
Peter Street with its houses built in the style of the former merchant mansions.
La Peterstrasse, rue aux maisons de marchands d'après d'anciens modèles.
Peterstrasse med köpmanshus byggda efter historiska förebilder.
La Peterstrasse con le case di commercianti costruite secondo antichi modelli.
La Peterstrasse con sus casas de comerciantes construidas según modelos antiguos.

Das Beylingstift beherbergt seit dem 19. Jahrhundert Altenwohnungen.
The Beylingstift foundation has housed pensioners since the 19th century.
La Beylingstift abrite des appartements pour personnes âgées depuis le XIXe siècle.
Sedan 1800-talet hyser Beylingstift pensionärsbostäder.
La fondazione Beyling ospita dal XIX° secolo una casa di riposo.
El convento de Beyling alberga residencias para la tercera edad desde el siglo XIX.

Das Chilehaus, 1922–1924, ist ein expressionistischer Klinkerbau.
The Chile house, built 1922–1924, is an expressionist brick building.
La Chilehaus, 1922–1924, est une construction en clinker expressionniste.
Chilehaus, byggt 1922–1924, är en expressionistisk tegelbyggnad.
La Chilehaus, 1922–1924, è una costruzione espressionista in klinker.
La casa de Chile, 1922–1924, es una construcción expresionista de clinca.

19

St. Michaelis ist die jüngste und größte der fünf Hauptkirchen. E.-G. Sonin und L. Prey errichteten die protestantische Kirche im Barockstil.
St. Michaelis is the youngest and largest of the five main churches in the city. This protestant church was built in baroque style by E.-G. Sonin and L. Prey.
Saint Michel est le plus jeune et la plus grande des cinq églises principales. E.-G. Sonin et L. Prey ont construit cette église protestante en style baroque.
S:t Michaelis är den nyaste och största av de fem huvudkyrkorna. E.-G. Sonin och L. Prey uppförde denna protestantiska kyrka i barockstil.
St. Michaelis è la più grande e recente delle cinque chiese principali. A E.-G. Sonin e L. Prey si deve la costruzione della chiesa protestante in stile barocco.
La iglesia de San Miguel es la más joven y grande de las cinco iglesias principales. E.-G. Sonin y L. Prey erigieron esta iglesia protestante en estilo barroco.

Man kann nicht nur auf den Michel steigen und über die Stadt sehen, sondern auch herrliche Konzerte in dem Gotteshaus erleben.
Not only can you climb up the tower "Michel" and enjoy the beautiful view over the city, you can also listen to fantastic concerts given inside the church.
On peut non seulement monter dans la tour de l'église St Michel et admirer la ville, mais on peut assister aussi à de magnifiques concerts donnés dans la maison de Dieu.
Man kan inte bara klättra upp i tornet "Michel" och se ut över staden, utan även uppleva fantastiska konserter i kyrkan.
Non solo si può salire sul campanile del "Michel" per ammirare la città, ma anche assistere a dei meravigliosi concerti nell'interno della chiesa.
La torre de Michel no es sólo para subir a contemplar la ciudad, también se pueden escuchar extraordinarios conciertos en la iglesia.

21

St. Petri ist die älteste der fünf Hauptkirchen der Hansestadt.
St. Petri is the oldest of the five principal churches in the Hanseatic city.
L'église St Pierre est la plus vieille des cinq églises principales de la ville hanséatique.
S:t Petri är den äldsta bland hansestadens fem huvudkyrkor.
St. Petri è la più antica delle cinque chiese maggiori della città anseatica.
San Pedro es la más antigua de las cinco iglesias principales de la ciudad hanseática.

Die Arp-Schnitger-Barockorgel ist in St. Jakobi zu bewundern.
The Arp-Schnitger baroque organ can be admired in the church of St. Jakobi.
L'orgue baroque Arp Schnitger peut être admiré à St Jacques.
Arp-Schnitger-barockorgeln kan beskådas i S:t Jakobi.
Nella chiesa di St. Jakobi si può ammirare l'organo barocco di Arp Schnitger.
El órgano barroco de Arp Schnitger puede ser admirado en la iglesia de Santiago.

Die Heilig-Geist-Brücke, im Hintergrund der Turm von St. Nikolai.
The Holy Ghost Bridge and, in the background, the tower of St. Nicholas Church.
Le pont du Saint-Esprit et la tour de l'église St Nicolas à l'arrière-plan.
Heilig-Geist-bron, i bakgrunden S:t Nikolais torn.
Il ponte di Santo Spirito con il campanile di San Nicola.
El Puente del Espíritu Santo; al fondo, la torre de San Nicolás.

St. Katharinen, gotische Scheinbasilika, mit barockem Turmhelm.
St. Katharinen, Gothic basilica, with baroque tower caps.
Sainte Catherine, pseudo-basilique gothique, avec une flèche baroque.
S:t Katharinen, gotisk pseudobasilika, med barock tornhjälm.
La basilica gotica di St. Katharinen, con la cupola barocca della torre.
Santa Catalina, basílica menor gótica, con cúpula de campanario barroca.

23

Das Nikolaifleet zeigt ein weiteres Stück des alten Hamburgs; es war im Mittelalter der erste Hamburger Hafen, der Alsterhafen.
The St. Nicholas Canal shows a further part of old Hamburg; it was the city's first port – the Alster Port – in the Middle Ages.
Le canal Saint-Nicolas montre un autre aspect du vieux Hambourg ; c'était le premier port de Hambourg au moyen-âge, le port sur l'Alster.
Nikolaifleet visar en annan del av det gamla Hamburg. Detta var under medeltiden Hamburgs första hamn, Alsterhamnen.
Il naviglio di San Nicola è una parte dell'antica Amburgo, nel medioevo fu il primo porto della città, il porto dell'Alster.
El Canal de San Nicolás muestra otra parte del viejo Hamburgo; en la Edad Media fue el primer puerto de Hamburgo, el Puerto del Alster.

Die Alsterarkaden an der „Kleinen Alster" wurden 1842–1843 von Alexis de Chateauneuf erbaut und nach dem Krieg restauriert.
The Alster Arcades on the "Small Alster" were built by Alexis de Chateauneuf from 1842 to 1843 and restored after the war.
Les arcades de l'Alster sur la «petite Alster» ont été construites en 1842–1843 par Alexis de Chateauneuf, et restaurées après la guerre.
Alsterarkaderna vid "Lilla Alster" byggdes 1842–1843 av Alexis de Chateauneuf och restaurerades efter kriget.
Le arcate sull'Alster vennero costruite sull' "Alster minore" nel 1842–1843 da Alexis de Chateauneuf e ricostruite dopo l'ultima guerra.
Las Arcadas del Alster, junto al «Pequeño Alster», fueron construidas en 1842–1843 por Alexis de Chateauneuf y restauradas después de la guerra.

25

Das CCH – Congress Centrum Hamburg – ist eines der modernsten und größten Kongresszentren Europas.
The CCH – Congress Centre Hamburg – is one of the largest and most modern congress centres in Europe.
Le CCH – Congress Centrum Hamburg – est l'un des centres de congrès les plus modernes et les plus grands d'Europe.
CCH – Congress Centrum Hamburg – är ett av Europas modernaste och största kongresscentra.
Il CCH – Congress Centrum Hamburg – è uno dei più grandi e moderni centri per congressi in Europa.
CCH – Congress Centrum Hamburg – es uno de los mayores y más modernos palacios de congresos de Europa.

26

Hamburg Airport zählt zu den größten Flughäfen Deutschlands und befördert jährlich ca. 10 Millionen Passagiere in die ganze Welt.
Hamburg Airport is one of the largest airports in Germany, and deals with some 10 million passengers worldwide each year.
Le Hamburg Airport compte parmi les plus grands aéroports d'Allemagne et transporte chaque année env. 10 millions de passagers dans le monde entier.
Hamburgs flygplats är bland de största i Tyskland. Här passerar varje år ca 10 miljoner pasagerare till olika destinationer över hela världen.
L'Hamburg Airport è fra i più grandi aeroporti tedeschi ogni anno con un traffico internazionale di ca. 10 milioni di passeggeri.
El aeropuerto de Hamburgo es uno de los más importantes de Alemania por el que transitan aproximadamente 10 millones de pasajeros de todo el mundo.

Der Anlegesteg der Alsterdampfer am Jungfernstieg. Von hier aus kann man interessante Fahrten im Alster- und Hafenbereich unternehmen.
The Alster boats' landing stage at the Jungfernstieg. This is the starting point for many interesting trips on the Alster and in the port area.
L'embarcadère des bateaux à vapeur de l'Alster, au Jungfernstieg. D'ici, on peut entreprendre d'intéressants tours sur l'Alster et dans la zone portuaire.
Alsterångbåtarnas brygga vid Jungfernstieg. Härifrån kan man ta intressanta turer i Alster- och hamnområdet.
L'imbarcadero dei vaporetti sull'Alster sulla riva detta Jungfernstieg. Da qui si possono fare delle interessanti gite turistiche sull'Alster e nel porto.
El embarcadero de las barcas turísticas del Alster en el Jungfernstieg. Desde aquí se pueden hacer excursiones interesantes por la zona del Alster y del puerto.

Die Köhlbrand-Hochbrücke, wohl eines der schönsten modernen Bauwerke der Stadt, ist zu einem Wahrzeichen Hamburgs geworden.
The Köhlbrand-Hochbrücke (Köhlbrand bridge), one of the most attractive modern constructions in the city, has become a landmark for Hamburg.
Le Köhlbrand-Hochbrücke (pont Köhlbrand), certainement l'un des plus beaux et modernes ouvrages de la ville, est devenu un symbole de Hambourg.
Köhlbrand-högbron, troligen ett av stadens finaste byggnadsverk, har blivit till ett av Hamburgs landmärken.
Il viadotto Köhlbrand, una delle più belle strutture moderne della città, è diventato un simbolo di Amburgo.
El puente de Köhlbrand, sin duda una de las obras arquitectónicas más bellas y modernas de la ciudad, se ha convertido en un símbolo destacado de Hamburgo.

Das Abfertigungsgebäude der Landungsbrücken in stimmungsvoller Beleuchtung wurde 1910 fertig gestellt und nach der Zerstörung im letzten Krieg neu aufgebaut.
The dispatch building of the landing stages, in atmospheric illumination, was completed in 1910 and reconstructed after destruction in the last war.
Le bâtiment de douane des appontements, à l'éclairage radieux, fut achevé en 1910 et reconstruit après sa destruction pendant la dernière guerre.
Landningsbryggornas expedieringsbyggnad i stämningsfull belysning färdigställdes 1910 och återuppbyggdes efter att ha förstörts i senaste kriget.
L'edificio dell'imbarcadero nella luce velata del crepuscolo. Completato nel 1910 venne ricostruito dopo la distruzione dell'ultima guerra.
El edificio terminal de los embarcaderos, inundado de una suave luminosidad, fue terminado en 1910 y reconstruido de nuevo después de su destrucción durante la guerra.

Mit Hilfe der vielen Kräne und Laufkatzen werden die Ozeanriesen von den Schauerleuten beladen oder gelöscht.
A great many cranes and travelling crabs help the longshoremen to load or unload the gigantic ocean vessels.
C'est à l'aide de nombreuses grues et grappins roulants que les géants de l'Océan sont chargés et déchargés par les débardeurs.
Med hjälp av många kranar och traverser kan hamnarbetarna lasta och lossa de jättelika oceangående skeppen.
Con l'aiuto delle numerose grú del porto i giganti degli oceani vengono caricati e scaricati velocemente.
Con ayuda de numerosas grúas, los obreros del puerto cargan y descargan gigantescos transatlánticos.

31

Der Hamburger Hafen ist der größte deutsche Seehafen. Um zahlreiche Hafenbecken gruppieren sich modernste Terminals für den Güterumschlag.
The Port of Hamburg is the largest German seaport. The most modern terminals for the transhipment of goods are grouped around numerous docks.
Le port de Hambourg est le plus grand port maritime allemand. Les terminaux de transbordement de marchandises les plus modernes se groupent autour de nombreux bassins.
Hamburgs hamn är Tysklands största kusthamn. Olika högmoderna godshanteringsterminaler grupperar sig omkring ett flertal hamnvikar.
Quello di Amburgo è il più grande porto marittimo della Germania. Intorno ai numerosi bacini sorgono terminal modernissimi per il trasbordo delle merci.
El puerto de Hamburgo es el puerto marítimo más grande de Alemania. En torno a los numerosos embarcaderos se reúnen los terminales más modernos para el transporte de mercancías.

berühmte „Hamburger Fischmarkt". Nur sonntags kann der Frühaufsteher diese Attraktion genießen. Außer Fisch findet man Blumen, Obst und allerlei Trödel.
famous Hamburg fish market. The early bird can only enjoy this attraction on Sundays. Apart from fish, one also finds flowers, fruit and all kinds of second-hand goods.
élèbre marché aux poissons de Hambourg. Celui qui est matinal peut jouir de cette attraction, le dimanche. Outre les poissons, on y vend des fleurs, des fruits et du bric-à-brac.
burgs berömda fiskmarknad. Enbart på söndagar kan den som stiger upp tidigt njuta av denna attraktion. Förutom fisk finns även blommor, grönsaker och mycket begagnat.
noso mercato del pesce. Soltanto di domenica si può visitare questa attrazione. Oltre al pesce vengono venduti fiori, frutta e roba da rigattiere.
moso «Mercado del Pescado». Sólo en domingo le es dado a quien madruga gozar de esta atracción. Además de pescado se venden flores, fruta y toda suerte de objetos.

33

Die 700 m langen Landungsbrücken sind ein schwimmender Schiffsanleger und Ausgangspunkt für Hafenrundfahrten. Auch der größte Teil des Schiffsverkehrs der Elbe legt hier an.
The 700 m long landing deck is a floating docking point for ships and starting point for harbour boat trips. Most of the shipping traffic on the Elbe River docks here.
Les appontements de 700 m de long sont un point d'escale et de départ flottant pour les tours du port en bateau. La majeure partie du trafic fluvial de l'Elbe accoste également ici.
De 700 m långa landningsbryggorna är en flytande tilläggsbrygga och är utgångspunkten för hamnrundfarterna. Även den större delen av fartygstrafiken på Elbe lägger till vid dessa bryggor.
I pontili lunghi 700 m sono un punto di attracco galleggiante per le navi e un punto di partenza per le gite nel porto. Qui attracca la maggior parte delle imbarcazioni che navigano sull'Elba.
Los 700 m de embarcaderos constituyen una dársena flotante y son punto de partida para visitas turísticas al puerto. La mayor parte del tráfico fluvial del Elba atraca en ellos.

Stimmungsvolle Schiffskulisse bei den St. Pauli-Landungsbrücken.
Atmospheric scene of ships by the St. Pauli landing stages.
Décor nautique pittoresque près des appontements de St Pauli.
Stämningsfull skeppskuliss vid S:t Pauli-landningsbryggorna.
Romantico panorama del porto presso l'imbarcadero di St. Pauli.
Una bella vista con navíos cerca de los embarcaderos de St. Pauli.

Über acht Brücken können Schiffspassagiere wieder das Land erreichen.
Ship passengers can get back to land over any of eight bridges.
Huit ponts permettent aux passagers des bateaux de regagner la terre ferme.
Skeppspassagerarna kan nå land på nytt via en av de åtta bryggorna.
Sono ben otto i pontili che permettono ai passeggeri di scendere a terra.
Los pasajeros de los barcos pueden tocar tierra cruzando uno de los ocho puentes.

Im Museum für Hamburgische Geschichte gibt es eine große Schifffahrtsabteilung: links ein Konvoischiff von 1668, rechts nautische Geräte, 17.–19. Jahrhundert.
The Museum of Hamburg's History and Culture has a large naval section. On the left: a convoy ship from 1668, on the right: nautical instruments from the 17th to 19th century.
Le Musée de l'histoire hambourgeoise possède un grand département sur la navigation : à gauche, un navire d'escorte de 1668, à droite, des instruments de navigation, XVIIᵉ–XIXᵉ siècles
I museet för Hamburgs historia finns en stor sjöfartsavdelning: t.v. ett konvojskepp från 1668, t.h. nautiska instrument, 1600- till 1800-talet.
Il Museo storico di Amburgo dedica una sezione alla navigazione marittima: a sinistra una nave di scorta del 1668, a destra strumenti navali, secolo XVII–XIX.
En el Museo de Historia de Hamburgo existe un pabellón sobre la navegación marítima: izquierda, un barco escolta de 1668; derecha, aparatos náuticos de los ss. XVII–XIX.

Im frei zugänglichen Museumshafen Övelgönne können originalgetreu restaurierte Wassernutzfahrzeuge bestaunt werden.
Water utility vehicles, restored in accordance with the originals, can be admired in Övelgönne, the admission free Museum Port.
Dans l'«Övelgönne», le musée gratuit du port, on peut admirer des bateaux utilitaires restaurés conformément aux originaux.
I den lättillgängliga museumshamnen Övelgönne kan originaltroget restaurerade vattentransportfordon beundras.
Nel porto-museo di Övelgönne, di libero accesso per il pubblico, si possono ammirare imbarcazioni commerciali ristrutturate in modo perfettamente fedele agli originali.
En el Museo del Puerto Övelgönne, de acceso libre, se pueden admirar barcos mercantiles fielmente restaurados.

37

Ein Dreimaster, heute eine Seltenheit im Hamburger Hafen.
A three-mast boat, now seldom seen in Hamburg's docks.
Un trois-mâts, une rareté de nos jours dans le port de Hambourg.
En tremastare, idag en sällsynthet i Hamburgs hamn.
Una trealberi, oggi una rarità nel porto di Amburgo.
Un velero de tres mástiles, una peculiaridad en el puerto de Hamburgo actual.

Das Klaus Störtebekerdenkmal, er war der bekannteste Pirat der Hansezeit.
Statue of Klaus Störtebeker, the most famous pirate of the Hanse period.
La statue de Klaus Störtebeker, le pirate le plus célèbre de l'époque de la Hanse.
Minnesmärket över Klaus Störtebeker, hansetidens mest kända pirat.
La statua di Klaus Störtebeker, famigerato pirata del periodo della Lega anseatica.
El monumento a Klaus Störtebeker, el pirata más famoso de la época hanseática.

Wichtigen Persönlichkeiten wie Bismarck und Heine haben die Hamburger ein Denkmal gesetzt. Das Hummeldenkmal erinnert an den Wasserträger Wilhelm Benz.
The city has erected statues in memory of celebrities like Bismarck and Heine. The Hummel Statue was erected in memory of Wilhelm Benz, the water carrier.
Les Hambourgeois ont élevé un monument à la mémoire de grandes personnalités comme Bismarck et Heine. Celui de Hummel remémore le porteur d'eau Wilhelm Benz.
Viktiga personligheter som Bismarck och Heine har fått sina minnesmärken i Hamburg. Hummelmonumentet påminner om vattenbäraren Wilhelm Benz.
La città di Amburgo ha eretto monumenti a personalità importanti come Bismarck e Heine. Il monumento di Hummel ricorda il portatore d'acqua Wilhelm Benz.
Los hamburgueses han levantado monumentos a importantes personalidades como Bismarck y Heine. El monumento de Hummel recuerda al aguador Wilhelm Benz.

Das Deutsche Schauspielhaus ist die größte Sprechbühne Deutschlands mit einem Repertoire von der Klassik bis zur Avantgarde.
The German theatre features the largest theatre stage in Germany, and boasts a repertoire including both classic and avant-garde pieces.
La salle de spectacle allemande est le plus grand théâtre d'Allemagne avec un répertoire allant du classique à l'avant-garde.
"Deutsches Schauspielhaus" är Tysklands största talscen med en repertoar som sträcker sig från klassiskt till avantgarde.
La Deutsches Schauspielhaus è il più grande teatro di prosa della Germania, con un repertorio che spazia dai classici alle avanguardie.
Deutsches Schauspielhaus es el teatro de representaciones dramáticas más grande de Alemania, con un repertorio que va del género clásico al vanguardista.

Thalia-Theater gehört zu den großen Häusern der Stadt. Die Komödie und das Ohnsorg-Theater sind kleiner, aber ihre Originalität macht sie unbedingt sehenswert.

Thalia Theatre is one of the great theatres of the city. The Comedy Theatre and the Ohnsorg Theatre are smaller, but their originality makes them definitely worth seeing.

théâtre Thalia compte parmi les grands théâtres de la ville. La Comédie et le théâtre Ohnsorg sont plus petits, mais leur originalité les rend absolument dignes d'être mentionnés.

lia-teatern hör till stadens stora scener. Visserligen är "Die Komödie" och "Ohnsorg"-teatern mindre, men de måste nämnas för sin originalitets skull.

atro Thalia è uno dei più grandi della città, mentre il Komödie ed il teatro Ohnsorg sono più piccoli, ma degni di nota per la loro originalità.

eatro Thalia destaca entre los grandes de la ciudad. La Comedia y el Teatro Ohnsorg son más pequeños, pero su originalidad los hace dignos de mención.

41

Die Musikhalle bietet Raum sowohl für klassische Konzerte als auch für die Rock- und Popmusik. Der Reeder Carl Laeisz ließ sie zwischen 1904 und 1908 erbauen.
The Music Hall offers space for classical concerts as well as for rock and pop music. The shipowner Carl Laeisz had it built between 1904 and 1908.
Dans la Musikhalle, on donne aussi bien des concerts de musique classique que de rock et de musique pop. L'armateur Carl Laeisz le fit construire entre 1904 et 1908.
Musikhalle har lokaler för både klassiska konserter och rock- och popmusik. Byggnaden uppfördes mellan 1904 och 1908 av redaren Carl Laeisz.
La Musikhalle, fatta costruire dall'armatore Carl Laeisz tra il 1904 ed il 1908, offre spazio sia per concerti di musica classica che pop e rock.
La Musikhalle ofrece espacio tanto para conciertos clásicos como para la música rock y pop. El naviero Carl Laeisz la hizo construir entre 1904 y 1908.

Kunsthalle besitzt neben vielen Werken aus aller Welt eine große Sammlung Hamburger Malerei, sowie ein Münz- und Medaillen-Kabinett.
sides many works of art from all over the world, the Hall of Art houses numerous pictures painted by Hanseatic artists and a beautiful collection of coins and medals.
Galerie des Beaux-Arts possède, outre les nombreuses œuvres du monde entier, une grande collection de peintures hambourgeoises ainsi qu'une collection de pièces et de médailles.
nsthallen har inte enbart många verk från hela världen, utan dessutom en stor samling med målningar från Hamburg, samt ett mynt- och medaljkabinett.
Kunsthalle possiede oltre ad opere di fama internazionale una grande raccolta di pittura locale e una collezione di monete e medaglie.
Kunsthalle posee, junto a numerosas obras del mundo entero, una gran colección de pintura local, así como una colección de monedas y medallas.

43

Kunstgegenstände wie den Buddha aus Burma findet man im Museum für Völkerkunde.
The Museum of Ethnology displays works of art like this Burmese Buddha.
Au Musée ethnographique, on trouve des pièces comme ce bouddha de Birmanie.
Föremål som denna buddha från Burma finns i Etnologiska museet.
Nel museo etnologico sono esposti oggetti come questo Budda dalla Birmania.
Objetos como el Buda de Burma se encuentran en el Museo de Etnología.

Die Meissener Porzellangruppe kann man im Museum für Kunst und Gewerbe bewundern.
These statuettes of Meissen china can be admired in the Museum for Arts and Crafts.
Au Musée des arts et métiers, on peut admirer ce groupe en porcelaine de Meissen.
Porslinsgruppen från Meissen kan beundras i konst- och hantverksmuseet.
Queste figurine di Meissen si trovano nel museo dell'arte e dei mestieri.
El grupo en porcelana de Meissen puede admirarse en el Museo de Arte e Industria.

Altonaer Museum sind die Gallionsfiguren besonders sehenswert; im Jenisch-Haus, einer Außenstelle, kann man die großbürgerliche Wohnkultur Hamburgs erleben.
e figureheads in the Altona Museum are especially worth seeing; in the Jenisch House, a branch of this museum, one can experience the cultivated living of Hamburg's haute bourgeoisie.
Musée d'Altona, les figures de proue sont une curiosité remarquable ; La Maison Jenisch, bâtiment secondaire, montre la manière de vivre de la grande bourgeoise de Hambourg.
jonsfigurerna i Altona-museet är särskilt sevärda. I Jenisch-huset, en museumsfilial, kan man uppleva Hamburgs rika borgares bostadskultur.
museo di Altona è particolarmente interessante la collezione di polene; nella sede staccata della Jenisch-Haus si possono ammirare arredamenti signorili tipici di Amburgo.
el Museo de Altona son dignos de verse los mascarones de proa; en la Casa Jenisch puede apreciarse el estilo de vivienda de la alta burguesía de Hamburgo.

45

In Hamburg finden sämtliche Konfessionen ihre Heimat. Links die Imam Ali Moschee und rechts eine russisch-orthodoxe Gemeinde.
All religions are represented in Hamburg. On the left is the Imam Ali mosque, and on the right is a Russian Orthodox church.
Toutes les confessions trouvent leur bonheur à Hambourg. A gauche, la mosquée Imam Ali et à droite, la paroisse orthodoxe russe.
I Hamburg har alla konfessioner sin hemvist. Till vänster Imam Ali-moskén och till höger en rysk-ortodox kyrka.
Ad Amburgo si può praticare ogni religione. A sinistra la moschea dell'Imam Ali e a destra una comunità russo-ortodossa.
Hamburgo alberga toda diversidad de confesiones religiosas. A la izquierda, la mezquita Imam Ali y, a la derecha, una comunidad ruso-ortodoxa.

beliebteste Grünanlage Hamburgs ist der bekannte Gartenpark „Planten un Blomen" (plattdeutsch für „Pflanzen und Blumen"). Im See befindet sich eine Wasserlichtorgel.
most popular green area in Hamburg is the well-known park 'Planten un Blomen' (regional dialect for 'plants and flowers'). A hydraulic light organ can be found in the lake.
parc le plus en vogue de Hambourg et le célèbre jardin « Planten un Blomen » (bas allemand pour « Plantes et fleurs »). Sur le lac se trouve un orgue aquatique.
mest populära grönområdet i Hamburg är den kända trädgårdsparken "Planten un Blomen" (plattyska för "plantor och blommor"). I sjön finns en vattenljusorgel.
più amata area verde di Amburgo è il famoso parco "Planten un Blomen" (che in basso tedesco significa "piante e fiori"). Nel lago si trova una fontana con giochi di acqua e di luce.
arque de Hamburgo más querido son los conocidos jardines « Planten un Blomen » (bajo alemán para « Plantas y flores »). El lago ofrece un espectáculo de luces y sonidos.

47

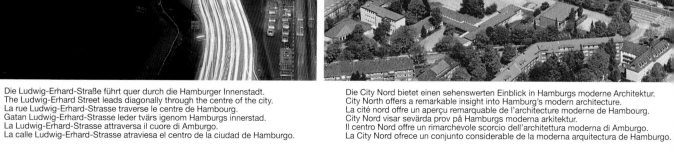

Die Ludwig-Erhard-Straße führt quer durch die Hamburger Innenstadt.
The Ludwig-Erhard Street leads diagonally through the centre of the city.
La rue Ludwig-Erhard-Strasse traverse le centre de Hambourg.
Gatan Ludwig-Erhard-Strasse leder tvärs igenom Hamburgs innerstad.
La Ludwig-Erhard-Strasse attraversa il cuore di Amburgo.
La calle Ludwig-Erhard-Strasse atraviesa el centro de la ciudad de Hamburgo.

48

Die City Nord bietet einen sehenswerten Einblick in Hamburgs moderne Architektur.
City North offers a remarkable insight into Hamburg's modern architecture.
La cité nord offre un aperçu remarquable de l'architecture moderne de Hambourg.
City Nord visar sevärda prov på Hamburgs moderna arkitektur.
Il centro Nord offre un rimarchevole scorcio dell'architettura moderna di Amburgo.
La City Nord ofrece un conjunto considerable de la moderna arquitectura de Hamburgo.

In großen überdachten Einkaufspassagen können die Besucher, unabhängig vom Wetter, geschützt spazieren gehen.
Visitors are able to walk in large covered shopping centres, sheltered from whatever weather is outside.
Dans les grandes galeries marchandes couvertes, les visiteurs peuvent se promener en étant protégés des intempéries.
I stora shoppingarkader kan besökare flanera i lugn och ro utan att vara beroende av vädret.
Le spaziose gallerie affollate di negozi permettono di andare a passeggio anche se fa brutto tempo.
Estas impresionantes galerías invitan a los peatones a pasear sin tener que preocuparse por el tiempo.

49

Die größte Einkaufsstraße Hamburgs ist die Mönckebergstraße. Ausgefallene Dinge findet man in den Antikläden oder den Souvenirgeschäften auf St. Pauli.
Hamburg's largest shopping street is Mönckeberg Street. For unusual things, try the antique and souvenir shops of St. Pauli.
La plus grande rue commerçante de Hambourg est la Mönckebergstrasse. On trouve d'extravagants objets dans les magasins d'antiquités et de souvenirs de St Pauli.
Hamburgs största shoppinggata är Mönckebergstrasse. Ovanliga saker hittar man i antikvitets- och souvenirbutikerna i S:t Pauli.
La via più importante per lo shopping è certamente la Mönckebergstrasse, mentre gli oggetti più insoliti si trovano nei negozi di antiquariato o in quelli di souvenir del quartiere di St. Pauli.
La mayor calle comercial de Hamburgo es la Mönckebergstrasse. Objetos curiosos se encuentran en los anticuarios o en las tiendas de recuerdos de St. Pauli.

Die Reeperbahn in St. Pauli ist ein weltbekanntes Vergnügungsviertel mit vielen Kneipen, Tanzpalästen, Clubs und Theatern.
The "Reeperbahn" in St. Pauli is a world famous amusement quarter with many pubs, dance halls, clubs and theatres.
La « Reeperbahn » de St Pauli est un quartier d'attractions connu dans le monde entier, avec beaucoup de bistrots, de cabarets, de boîtes de nuit et de théâtres.
Reeperbahn i S:t Pauli är ett världsberömt nöjeskvarter med många krogar, dansställen, nattklubbar och teatrar.
Il grande numero di bar, varietà, teatri e club hanno reso famosa in tutto il mondo la Reeperbahn di St. Pauli.
La Reeperbahn, una calle de St. Pauli, el mundialmente famoso barrio de diversiones con numerosos bares, salas de fiestas, clubes y teatros.

51

Den Sport schreiben die Hanseaten groß; der Tennisplatz am Rothenbaum und die Pferderennbahn in Horn sind weltbekannte Austragungsorte.
The people of Hamburg are very fond of sports; the tennis championships at Rothenbaum and the horse races at Horn are sporting events known throughout the world.
Les Hanséates portent le sport dans leur cœur; le court de tennis de Rothenbaum et l'hippodrome de Horn sont des lieux de retransmission de renommée mondiale.
Hanseaterna är mycket sportintresserade. Tennisplatsen i Rothenbaum och hästkapplöpningsbanan i Horn är världsberömda tävlingsplatser.
Lo sport riveste una grande importanza per gli abitanti della città; i campi da tennis del Rothenbaum e l'ippodromo di Horn ospitano spesso avvenimenti sportivi internazionali.
Para los hanseáticos el deporte es importante; las pistas de tenis de Rothenbaum y el hipódromo de Horn son lugares de competiciones mundialmente conocidos.

Die AOL-Arena bietet 55.000 überdachte Zuschauerplätze und ist Austragungsort der Heimspiele des HSV.
The AOL arena boasts 55,000 roofed-over spectator seats and is home to HSV games.
L'AOL-Arena offre 55.000 places couvertes de spectateurs et est le lieu de rencontre sportive des matchs à domicile du HSV.
AOL-arenan har plats för 55 000 åskådare under tak. Här spelar föreningen HSV sina hemmamatcher.
L'Arena AOL offre un posto coperto a 55.000 spettatori ed è lo stadio in cui si disputano le partite in casa della squadra della città, l'HSV.
El estadio de AOL dispone de plazas techadas para 55.000 espectadores, lo que lo convierte en el lugar de celebración de los partidos en casa del HSV.

Hagenbecks Tierpark, ein Tagesausflug mit interessanten Erlebnissen.
A visit to Hagenbeck's Zoo promises to be a splendid and exciting day.
Le parc zoologique de Hagenbeck, une visite d'un jour pleine d'expériences intéressantes.
Hagenbecks djurpark, en dagsutflykt med intressanta upplevelser.
Il giardino zoologico di Hagenbeck merita certo una visita.
El Parque Zoológico de Hagenbeck, lugar de excursión muy apreciado.

Das Planetarium ist mit modernster digitaler Projektion ausgestattet.
The planetarium is equipped with ultra-modern digital projection equipment.
Le planétarium est équipé d'une projection numérique des plus modernes.
Planetariet är utrustat med modernaste digital projektionsteknik.
Il planetario è dotato della più moderna tecnica di proiezione.
El planetario está dotado de la más moderna tecnología de proyección digital.

„Willkomm Höft" werden die Schiffe mit ihrer Nationalhymne begrüßt.
„Willkomm Höft", every ship is saluted by the sounds of her national anthem.
«Willkomm Höft», point de bienvenue, les bateaux sont salués avec leur hymne national.
„Willkomm Höft" hälsas varje fartyg med sin nationalsång.
„Willkomm Höft" tutte le navi vengono salutate con il loro inno nazionale.
« Willkomm Höft » los barcos son saludados con su himno nacional.

Hamburg-Blankenese gehört zu den traditionellen „Reichenvierteln" der Stadt.
Hamburg-Blankenese, one of the traditional quarters of the rich.
Hambourg-Blankenese fait partie des quartiers riches traditionnels de la ville.
Hamburg-Blankenese hör till stadens traditionella "rikemanskvarter".
Amburgo-Blankenese è uno dei tradizionali quartieri signorili della città.
Hamburgo-Blankenese es uno de los tradicionales « barrios ricos » de la ciudad.

Typisch für die Gastronomie der Hansestadt sind Cafés und Restaurants an Alster und Elbe, außerdem natürlich die Hafenkneipen und Fischlokale.
The cafes and restaurants on the Alster and Elbe as well as the bars and fish eating houses are a typical feature of the Hanseatic city.
Cafés et restaurants au bord de l'Alster et de l'Elbe, et bien sûr bistrots sur le port et restaurants de poissons sont typiques pour la gastronomie de la ville hanséatique.
Typiskt för hansestadens gastronomi är kaféerna och restaurangerna längs med Alster och Elbe, dessutom naturligtvis hamnkrogar och fiskrestauranger.
Tipici della città sono i caffè ed i ristoranti sull'Alster e sull'Elba, oltre naturalmente alle taverne del porto e ai locali di pesce.
Típicos para la gastronomía de Hamburgo son los cafés restaurantes junto al Alster y el Elba, además, naturalmente, de las tascas del puerto y los locales de pescado.

Finkenwerder, ein altes Fischerdorf, lebt auch heute noch zum Teil vom Fischfang. In seinem Hafen liegen, wie seit Jahrhunderten, die Fischkutter.
Finkenwerder, an old fisher village. Some villagers still fish for a living today, their cutters lying in the harbour as they have done for centuries.
Finkenwerder, ancien village de pêcheurs, vit aujourd'hui encore en partie de la pêche. Dans son port, les bateaux de pêche sont amarrés comme depuis des siècles.
Det gamla fiskeläget Finkenwerder lever fortfarande delvis på fiske. I hamnen ligger fiskekuttrarna som de har gjort redan i århundraden.
Finkenwerder, un antico centro della pesca, ancora oggi vive in parte di questa attività. Nel porto i pescherecci come nei secoli passati.
Finkenwerder, un antiguo pueblo de pescadores, vive todavía hoy, en parte, de la pesca. En su puerto se hallan, como desde hace siglos, los pesqueros.

Övelgönne, eine sehr romantische Fischer- und Schiffersiedlung, liegt direkt am Elbufer.
Övelgönne, a romantic sailor and fisher village on the banks of the Elbe.
Övelgönne, lotissement de pêcheurs et de marins, très romantique, se situe directement sur la rive de l'Elbe.
Övelgönne, ett mycket romantiskt fiskeläge, ligger direkt vid Elbestranden.
Övelgönne, un romantico paesino di marinai e pescatori, è adagiato direttamente sulle rive dell'Elba.
Övelgönne, un barrio muy romántico de pescadores y marineros, se halla directamente a orillas del Elba.

Nicht nur die kleinen, aber schmucken Lotsenhäuser in Övelgönne …
Not only the marine pilots' cute little houses provide Övelgönne with an idyllic atmosphere …
Non seulement les postes de pilotage d'«Övelgönne», petits mais jolis …
Inte bara de små, men fina lotshusen i Övelgönne …
Non solo le piccole, ma graziose casette dei piloti del porto ad Övelgönne …
No sólo las lindas casitas de los prácticos en Övelgönne …

… sondern auch die Umgebung sorgen für eine idyllische Atmosphäre.
… the surrounding area is just as enchanting.
… mais aussi les alentours créent une atmosphère idyllique.
… utan även omgivningarna har en idyllisk atmosfär.
… ma anche le zone circostanti sono immerse in un'atmosfera idilliaca.
… sino también los alrededores del barrio se encargan de crear un ambiente idílico.

Das Altonaer Rathaus wurde 1844 von G. Semper ursprünglich als Bahnhof geschaffen.
The Altona town hall was originally created by G. Semper in 1844 to be a station.
L'hôtel de ville d'Altona, initialement conçu comme gare, fut créé par G. Semper en 1844.
Altonas rådhus uppfördes 1844 av G. Semper och användes ursprungligen som stationsbyggnad.
Il municipio di Altona, concepito inizialmente come stazione, venne creato nel 1844 da G. Semper.
El Ayuntamiento de Altona fue creado en un principio como estación por G. Semper en 1844.

Schloss Ahrensburg, 1595 erbaut, ist heute ein Museum von besonderer Schönheit.
Today, Ahrensburg Castle, built in 1595, is a museum of particular beauty.
Le château d'Ahrensburg, 1595, abrite aujourd'hui un musée d'une remarquable beauté.
Slottet Ahrensburg, byggt 1595, är idag ett särskilt vackert museum.
Il castello di Ahrensburg del 1595 è oggi un museo di particolare bellezza.
El Castillo Ahrensburg, construido en 1595, es hoy un museo de belleza singular.

Bergedorf gehört zu den ältesten Teilen Hamburgs. Das Schloss stammt aus dem 13. Jahrhundert, wurde aber im 16. und 17. Jahrhundert vollkommen neu restauriert.
Bergedorf is one of the oldest parts of Hamburg. The castle dates back to the 13th century, but was completely restored in the 16th and 17th centuries.
Bergedorf compte parmi les plus anciennes parties de Hambourg. Le château date du XIIIe siècle, mais il fut restauré de fond en comble aux XVIe et XVIIe siècles.
Bergedorf hör till Hamburgs äldsta delar. Slottet som kan härledas till 1200-talet, restaurerades dock komplett under 1500- och 1600-talet.
Bergedorf è una delle parti più antiche di Amburgo. Il castello risale al XIII secolo, ma venne ristrutturato completamente nel XVI e XVII secolo.
Bergedorf es uno de los barrios más antiguos de Hamburgo. El castillo es del s. XIII, pero fue íntegramente renovado en los ss. XVI y XVII.

61

Im Alten Land, einem großen Obstanbaugebiet, findet man einen besonderen Gehöftstil. Das rechte Bild zeigt die Mühle in Twielenfleth.
In the "Alte Land", a large fruit growing area, the farm houses reflect a particular architecture. The right-hand picture shows the mill in Twielenfleth.
Dans l'« Alte Land », grand domaine de plantations de fruits, on trouve un style particulier de fermes. La photographie de droite montre le moulin de Twielenfleth.
"Das Alte Land" är ett stort odlingsområde för grönsaker, där man kan se en särskild byggnadsstil på gårdarna. Bilden till höger visar kvarnen i Twielenfleth.
Nell'"Altes Land", una grande zona a frutteti, si trova uno stile particolare di fattoria. L'immagine a destra presenta il mulino di Twielenfleth.
En el «Alten Land», extensa región de cultivo de fruta, se encuentra un tipo especial de casa de labranza. La foto derecha muestra el molino de Twielenfleth.

Vor den Toren Hamburgs liegt die „Lüneburger Heide". Sie ist ein Erholungsgebiet mit einer in Europa einmaligen Landschaft.
Outside the town is the Lüneburg Heath. It is a recreation area with a landscape unique in Europe.
Aux portes de Hambourg s'étendent les «Landes de Lüneburg». C'est une zone d'excursion, dans un paysage unique en Europe.
Utanför Hamburgs stadsportar ligger "Lüneburger Heide". Detta är ett rekreationsområde med ett för Europa unikt landskap.
Alle porte di Amburgo si estende la "Lüneburger Heide" una zone turistica con un paesaggio di brughiere unico in Europa.
A las puertas de Hamburgo está la «Lüneburger Heide», una región de recreo cuyo paisaje es único en Europa.

Der Wittenberger Leuchtturm ist ein Wegbegleiter für alle Schiffe, die die Elbe flussauf- oder abwärts fahren.
Wittenberg Lighthouse, a beacon for every ship sailing up or down the Elbe.
Le phare de Wittenberg guide tous les bateaux qui circulent en aval ou en amont de l'Elbe.
Wittenbergska fyrtornet är ett riktmärke för alla skepp som färdas upp- eller nerför Elbe.
Il faro di Wittenberg accompagna tutte le navi che risalgono oppure scendono l'Elba.
El Faro de Wittenberg acompaña en su camino a todos los barcos que navegan por el Elba, río arriba o río abajo.